W9-DAX-930
Thornhill, ON L4J 7R4
905-653-READ
MAR 0 3 2009

33288083412454

ЭНЦИКЛОПЕДИЯ ЖИВОПИСИ ДЛЯ ДЕТЕЙ

Марина Казиева

Сказка в русской живописи

БЕЛЫЙ ГОРОД

Москва, 2006

Дорогами сказки

1
В. Максимов
Бабушкины сказки. 1867

Откуда к нам пришла сказка? Почему многие столетия взрослые рассказывают детям сказки, а дети их с упоением слушают? «Так ведь это же интересно — слушать сказки!» — ответят все, не задумываясь. «Сказка ложь, да в ней намек! Добрым молодцам урок», — вспомнят пушкинские строки те, кто начитан. Но в древние времена сказка входила еще и в магический обряд «посвящения во взрослые». Он назывался инициацией. Вместе со сказочными героями подростки отправлялись в символический потусторонний мир — мир мертвых, учились побеждать страх, проходили через ряд испытаний, разгадывали загадки и благополучно возвращались обратно. Так что сказка — это не только занимательно, но еще и очень серьезно.

Но «лучше один раз увидеть, чем сто раз услышать». Конечно, можно накупить кассет и смотреть сказки по видеомагнитофону. Но разве это посвящение в мир взрослых?

1. **Вспомни «У лукоморья дуб зеленый...» Что кот ученый делает: «песнь заводит» или «сказку говорит»?**
2. **Каких персонажей спрятал художник в кроне дуба?**

2
Обложка к «Сказке о царе Салтане» А.С. Пушкина. 1904

3
В. Васнецов
Ковер-самолет
1880

Ответы

1. Кот ученый «песнь заводит», так как идет направо.
2. 18 персонажей: 2 неведомых зверя, русалка, Баба Яга, царевна, серый волк, кот, царь Кощей, 9 витязей, дядька морской.

Книга, в которой ты увидишь сказку глазами художников, — не просто «книжка с картинками». В каждой главе тебя будет ожидать испытание ума, воображения, смекалки, памяти. Ты сможешь пофантазировать, выбрать свой вариант решения в трудной сказочной ситуации — не все же за тебя решать взрослым! Ты можешь читать эту книжку вместе с ними — пусть они заново пройдут «обряд инициации»!

На картине Василия Максимова «Бабушкины сказки» деревенская детвора, слушая рассказ старой сказительницы, замирает от восторга и страха. Даже седой бородатый старик и мать, кормящая младенца, забыв обо всем, прислушиваются к ее напевной речи.

Взрослые до сих пор любят сказки, правда, не все признаются в этом... Чтобы сказочное путешествие удалось, тебе необходимо терпение. Не спеши наскоро просмотреть эту книгу. Поспешишь — людей насмешишь. В такую ситуацию попадали многие герои сказок.

Но достаточно слов! Сказка зовет в дорогу. Иван Царевич на картине Виктора Васнецова уже несется на ковре-самолете с Жар-птицей. Сказочное время не ждет! На мгновение оно словно застыло на обложке книги «Сказка о царе Салтане», оформленной Иваном Билибиным. Его кот ученый уже заждался. Неспешный ритм его шагов и движения хвоста похожи на узоры «бурливых» волн лукоморья.

Окно в мир сказки распахнуто художником! Пора тебе приниматься за дело и отвечать на вопросы «сказочной разминки». Но учти: вопросы с подвохом.

4
И. Билибин
Три сына
Иллюстрация к книге «Царевна-лягушка»
1899

Как рождается сказка?

5
В. Васнецов
Аленушка
1881

5

Как ты думаешь, если Аленушке будет грозить опасность, кто (или что) ее предостережет? Можешь пофантазировать.

Был ли ты когда-нибудь в настоящей «избушке на курьих ножках»? Если нет, посмотри, как она выглядит. Не правда ли, вовсе не такая уж древняя! Ей немногим больше 100 лет. Стоит она в густых лесах подмосковной усадьбы Абрамцево. Сюда, к радушному хозяину, купцу и покровителю творческих людей Савве Мамонтову приезжал и художник Виктор Васнецов.

Природа здесь полна таинственной прелести, наверное, поэтому сказочная беседка, которую он задумал, была названа именно так — «Избушка на курьих ножках». Сравни фотографию беседки с картиной Васнецова с таким же названием. Кажется, весь лес на полотне затаился в ожидании встречи с нечистой силой. Избушка в сказках всегда была «входом» в потусторонний мир.

Но сюжеты сказочных картин дарила художникам и сама жизнь. Если посмотреть на известную картину «Аленушка» свежим взглядом, то можно признать, что девочка мало похожа на сказочную героиню.

6
В. Васнецов
Гусляры
1899

6

7
Беседка «Избушка на курьих ножках» по проекту В. Васнецова
Фото

8
В. Васнецов
Избушка на курьих ножках. 1882

7

8

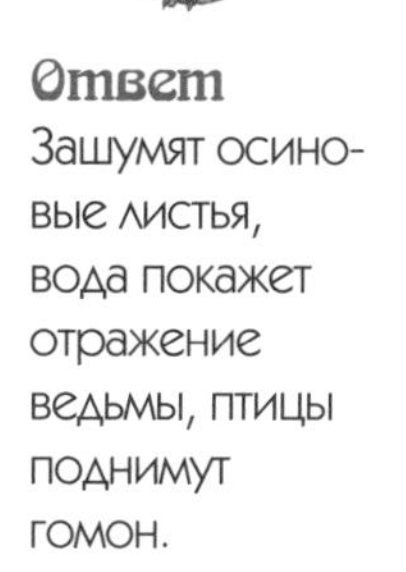

Ответ
Зашумят осиновые листья, вода покажет отражение ведьмы, птицы поднимут гомон.

Когда-то Васнецов встретил около того же Абрамцева босоногую деревенскую девчонку. Она поразила его не красотой, а выражением «тоски, одиночества и чисто русской печали» на лице. «Поколдовав» над этим образом в этюдах (подготовительных работах), он «поселил» девочку в картине, наделив ее какой-то притягательной тайной. Аленушка уже выплакала все свои горести-печали, поделилась ими и с трепетной осинкой, и с острой осокой. Посмотри: она уже не плачет, а тихо шепчет или поет.

А теперь вслушайся в слова старинной русской песни:

То не ветер ветку клонит,
Не дубравушка шумит,
То мое, мое сердечко стонет,
Как осенний лист, дрожит.

Как созвучно это переживаниям бедной Аленушки! Оказывается, родиться сказке может помочь не только фантазия, но и песня.

В стародавние времена гусляры сказки так и рассказывали — нараспев. Сказители старались донести до слушателей не только ее сюжет, но и завораживающую музыку. Как в русской народной песне, Васнецов на картине одушевляет природу, и она, как в сказке, «разговаривает» с Аленушкой.

9
И. Билибин
Баба Яга
Иллюстрация к книге «Василиса Прекрасная»

Добро и Зло

В сказке Добро всегда борется со Злом. Когда наступают сумерки, кажется, что начинают править силы Зла. Некоторые из нас до сих пор верят, что именно тогда в природе пробуждается нечистая сила. В русских сказках предвестниками ее пробуждения считались черные вороны. Как устрашающи их мрачные силуэты на картине художника Николая Рериха! Чудится, что они ждут: сейчас погаснут последние лучи солнца, тогда зловещим карканьем они призовут на землю страшных вершителей Зла. Серые валуны в лучах заката обретают сходство с громадными черепами. Рерих не запугивает зрителя, он пробуждает его воображение.

Найди на картине крылатую вестницу, которая может помочь Иванушке, растрезвонив о его беде на весь лес.

В картине Виктора Васнецова «Баба Яга» восходящий месяц озаряет призрачным светом мрачную чащобу, сквозь которую над болотом несется в ступе ведьма. Кажется, мы слышим скрежет зубов Бабы Яги и зловещее уханье филина, чьи крылья повторяют очертания ее развева-

10
И. Билибин
Кощей Бессмертный
Иллюстрация к книге «Марья Моревна»

11
В. Васнецов
Баба Яга
1917

12
В. Васнецов
Кощей Бессмертный
1926

13

ющегося одеяния. Белое пятно рубашки Иванушки пронзительно светится. Он будто взывает о помощи. Неужели его крика никто не услышит?

Иногда Добро в работах Васнецова кажется хрупким и беззащитным, совсем как юная царевна на картине «Кощей Бессмертный». Но противоборство, которое Добро ведет со Злом, не выглядит безнадежным.

В подземелье своего дворца Кощей уговаривает прекрасную царевну стать его женой. Пряди волос и бороды царя змеятся по его груди, а зубцы короны извиваются, как пиявки. Носы туфель зловеще загнуты, они похожи на когти, а лезвие окровавленного меча изгибается в его костявых руках. Он, словно сетью, опутывает царевну обещаниями и угрозами. Но на лице красавицы нет испуга. Она бледна, но тверда и непреклонна. Кажется, что именно от ее кораллового с золотом одеяния, а не от сверкающих монет в сундуках Кощея в подземелье становится светлее. Отвратительный и безжалостный дух Зла бессилен перед чистотой, перед светом красоты. Даже мрачные подвалы его владений озарены лучами сказочного красного солнышка — оно на росписи стен возле красы ненаглядной.

Но иногда Зло предстает грозным и неодолимым, и цена победы над ним — потоки крови и страшные раны, как на полотне Васнецова «Бой Ивана Царевича с трехглавым змеем».

13
Н. Рерих
Зловещие
1901

Ответ
Сорока-белобока.

14
В. Васнецов
Бой Ивана Царевича с трехглавым змеем

14

Нечисть

15

16

15
В. Васнецов
Дедушка Водяной
Начало XX века

16
В. Васнецов
Домовой
Начало XX века

17
М. Врубель
Пан. 1898

17

Верные приспешники Зла — лешие, домовые, русалки, водяные... Правда, мелкая нечисть в сказках не только вредит героям, но иногда и помогает им. Надо только отнестись к нечисти «по-человечески», и тогда она неплохо послужит, не хуже серого волка. Васнецов был тем редким художником, который смог «приручить» ее. На художественных открытках, выпущенных в начале XX века целой серией, он изобразил нечисть по-домашнему уютной и незловредной. Домовой — хлопотлив и домовит. А дедушка Водяной — обаятельнейший проказник. Кажется, вытащи он руку из воды — в ней обязательно окажется какой-нибудь смешной сюрприз. Если бы он был обучен грамоте, на обороте открытки наверняка «отписал» бы: «из омута — с любовью». Вот и не верь после этого, что нечистая сила может быть доброй и милой.

Герой картины-фантазии Михаила Врубеля «Пан» меньше всего похож на древнегреческого Пана — бога лесов, полей и стад. Мифологический бог мог не только удивить странным обличьем — мохнатыми козлиными ногами и кудлатой головой с рожками. В гневе он был способен нагонять на людей беспричинный ПАНический страх, и тогда они поддавались ПАНике.

Но врубелевский Пан удивительно похож на лешего из русской сказки. Кажется, лишь мгновение назад он появился из замшелого пня возле наклонившейся к нему березки. Позолоченный рожок месяца освещает его морщинистое лицо, и на нем неожиданно загораются прозрачные и чистые глаза, соперничающие своей синевой с озерной гладью и нежными незабудками.

Это существо, обладающее сверхъестественной силой, смотрит по-детски простодушно, кажется, что он просит сочувствия и вот-вот расскажет грустную историю своей безответной любви к прекрасной нимфе Сири́нге. Из страха перед Паном она отвергла его любовь и пре-

вратилась в тростник, из которого безутешный Пан сделал свирель. Имя его возлюбленной и означает «свирель».

Происхождение русалок тоже связывали с историями о несчастной любви. В старину верили, что русалками становились обманутые своими возлюбленными молодые девушки, утонувшие в реке. Покой и прохлада подводного царства хранят теперь их обиды и проклятия. Вглядись в прозрачную зелень речной заводи на картине Валентина Серова «Русалка» и ты увидишь лицо такой зачарованной девы.

Иногда наступает такое время, когда не только пробуждается нечисть, но и происходят разные волшебные превращения. Самое загадочное полотно Михаила Врубеля «К ночи» — на первый взгляд просто картина из крестьянской жизни: пастух пригнал в ночное коней. Но вот загораются в ночи фиолетовым пламенем цветы чертополоха, и фигура пастуха обретает сходство с нечистью: на голове его вырастают изогнутые рога. Это уже не простодушный Пан — Леший: глаза нечестивца угрожающе поблескивают. Если всмотреться в бледные очертания луны, можно обнаружить, что за происходящим кто-то наблюдает...

Найди в картине другие источники света, кроме луны и цветов. Их так много, что тебе станет ясно: нечисть не в силах осуществить свои коварные замыслы.

18
И. Билибин
Водяной
1934

19
В. Серов
Русалка

Ответ
Это стебли растения, похожие на свечи.

20
Б. Анисфельд
Морское чудище

21
М. Врубель
К ночи. 1900

Чары

22

22
В. Васнецов
Спящая царевна
1926

Вспомни, что делала царевна перед тем, как ее одолел колдовской сон, и найди ответ среди деталей картины.

Волшебники и колдуны в русских сказках не всегда обращают свой дар против людей. Они умеют заговаривать стихии, разговаривать с животными. Глядя на картину художника-мудреца Николая Рериха «Чары звериные», ты словно начинаешь проникать в тайну языка «братьев наших меньших». В картине нет сюжета, но удивительная музыкальность ее линий, насыщенность красок действительно могут зачаровать и заставят поверить, что звери — наши давние прародичи и покровители. Если мы попытаемся понять их, они будут помогать и оберегать нас. Если мы не престанем их истреблять, они будут жестоко мстить.

23

23
М. Клодт
Колдунья

Может быть, поэтому колдуны в сказках часто надевают звериную шкуру, подобную той, которая наброшена на плечи героини полотна Михаила Клодта «Колдунья». Но картина не производит впечатления сказочной. Человеку свойственно верить в «черную» и «белую» магию не только в сказках. Сколько девушек пытались погадать, чтобы увидеть в зеркале своего суженого. А сколько и поныне мечтают навеки приворожить любимого или наказать его за неверность! Одну из таких просительниц ты видишь на картине Клодта. В сумрачной каморке колдунья водит ладонями над догоревшим костром, а девушка в нарядной крестьянской одежде в испуге вскидывает руки. Что видит она, чему ужасается? Каким открылось ей будущее? Это останется загадкой.

А загадку картины Васнецова «Спящая царевна» ты давно уже разгадал. Известную европейскую сказку художник переложил на русский лад. Через раму картины ты словно заглядываешь в зачарованное спящее царство. Необычайно яркие краски кажутся застывшими, словно художник заколдовал их и они тоже погрузились в сон. Вместе с челядью уснувшей царевны, многочисленными зверями и птицами спит и Девочка Семилеточка. Перед тем как ее сковал волшебный сон, она читала таинственную Голубиную книгу — легендарное повествование о прошлом и будущем славян. Но ты и сам знаешь, какое будущее уготовано спящей красавице, кто разрушит злые чары, чтобы ее царство вновь наполнилось пением птиц, звуками голосов и музыкой.

Признайся, иногда тебе хочется, чтобы твои желания исполнялись благодаря волшебным заклинаниям. Сказочному Емеле повезло: сделал доброе дело — и «по-щучьему велению, по Емелиному хотению» его самые невероятные желания и капризы стали претворяться в жизнь. Изображение на шкатулке, расписанной мастерами из старинного русского села Хо́луй, рассказывает о том, как ленивый Емеля на царевне женился да полцарства в придачу отхватил. Вьется сюжет сказки, как тропинка: слева направо, сверху вниз и заканчивается в центре. Конец — всему делу венец.

24

24
В. Харчев
По-щучьему велению
Роспись на шкатулке

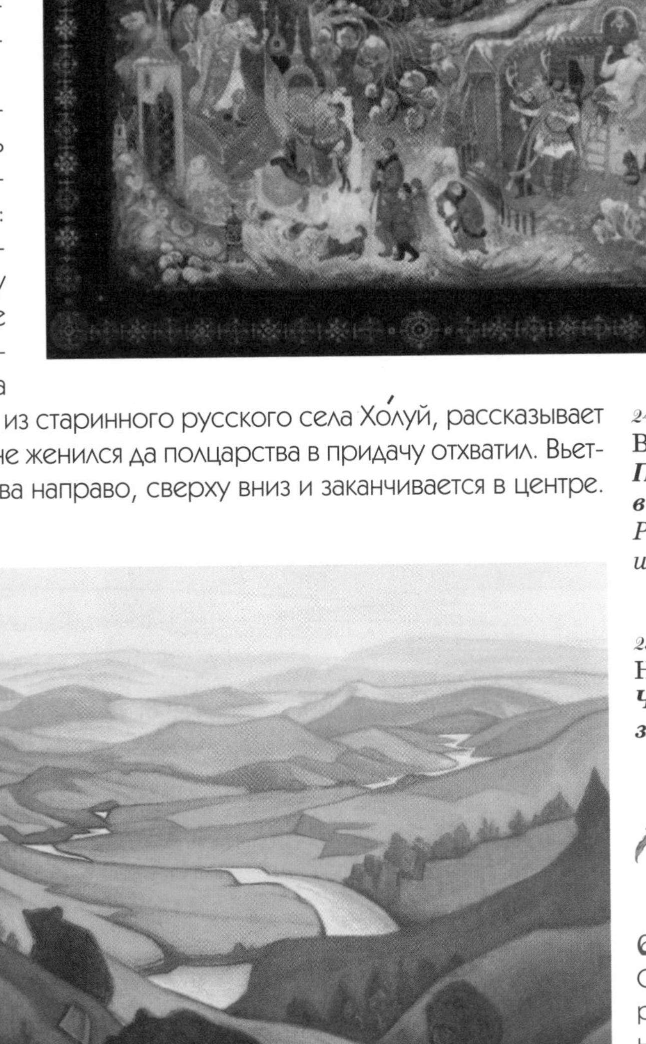

25

25
Н. Рерих
Чары звериные

Ответ
Она уколола руку веретеном. У ее ног изображена прялка.

Похищение счастья

26
В. Антропов
Жар-птица
Роспись на шкатулке

27
В. Васнецов
Ковер-самолет. 1926

28
В. Васнецов
Сивка-Бурка
1926

29
В. Васнецов
Иван Царевич на Сером Волке
1889

Ответы
1. Герои находятся на седьмом небе.

2. Елена Прекрасная может превратиться в лилию, цветок яблони, в лягушку. Иван Царевич — в загадочные существа (они — на верхней ветке дерева).

26

Почти в каждой волшебной сказке героя ожидает награда, в чем-то похожая на Емелино счастье, — любовь девицы-красавицы и богатство. Но счастье надо заслужить или завоевать. Доступно это герою сильному и, самое главное, доброму. Злой человек никогда не будет счастлив. Как Кощей, он будет томиться и чахнуть над своими сокровищами, а бессмертие его обернется вечным страхом потерять их.

Зато каким счастьем и умиротворением веет от картины Васнецова «Ковер-самолет»!

По небу, среди мягких ласковых облаков летят на ковре-самолете Иван Царевич и Елена Прекрасная. Совет им да любовь! Ковер-самолет парит в розовеющем небе над рекой. Молочный туман опустился на реку — получились настоящие молочные берега. Туман будто продолжает реку в сказочном небесном «некотором царстве».

Полет на ковре-самолете на картине Васнецова — воплощение извечной мечты человека о счастье и покое в конце долгого пути, после приключений и испытаний. И не все герои выходят из них победителями — только те, кто борется со Злом.

Другие картины художника напомнят тебе об этом нелегком пути. Да ты и сам можешь помочь героям пройти его и даже спасти их в трудный момент. Начнем с известной картины «Иван Царевич на Сером Волке».

Мчится сквозь темный, страшный лес Серый Волк, спасает от погони Ивана Царевича и Елену Прекрасную. Ее золотистые волосы развеваются по ветру. Скорость, с которой волк их несет, огромна: даже тяжелый меч-кладенец Ивана Царевича взвивается в воздух.

Елена Прекрасная словно в полусне. Ее узорчатый халат из голубого шелка, кажется, не может согреть ее. Но царевич ласково держит ее в своих объятиях.

Васнецов показывает в картине, как от пылкого чувства в холодном, мрачном лесу происходит настоящее чудо: на ветке яблони, неожиданной здесь,

27

28

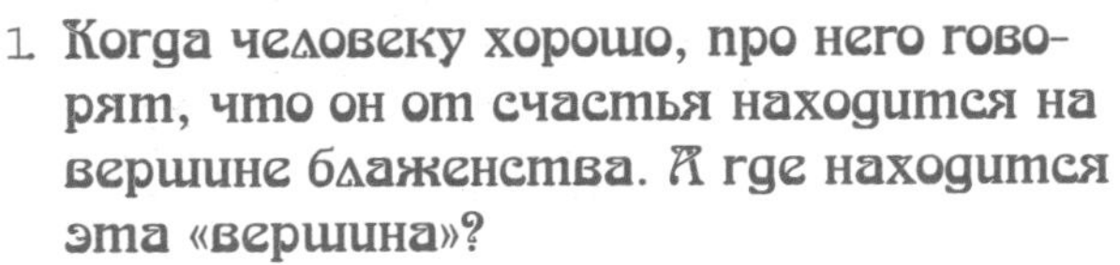

1. **Когда человеку хорошо, про него говорят, что он от счастья находится на вершине блаженства. А где находится эта «вершина»?**

в чащобе, распускаются нежные, как любовь в сердцах сказочных героев, цветы.

В картине В. Васнецова «Сивка-Бурка» звучит задорный призыв: «Хочешь быть счастливым — не страшись, испытывай судьбу!»

Возмечтал Иван-дурак жениться на царевой дочке. Потеха да и только! До этого он нечесаным на печи сидел. И вдруг... «В правое ухо Сивке-Бурке залез — оделся, выскочил в левое — молодцом сделался». И поскакал судьбу пытать! Народ возле терема дивится: откуда такой красавец удалец выискался. Взвился его конь златогривый и допрыгнул до окошка царевны. Успеет ее поцеловать Иванушка, отдаст царь ему дочку в жены. Но сомнений уже нет — полет добра молодца должен закончиться свадьбой.

29

2. **В кого бы ты превратил героев, если бы потребовалось их спасти? Кем могла бы стать Елена Прекрасная? А Иван Царевич? Творческая фантазия в этом задании обязательна.**

Превращения

30
М. Врубель
Богатырь
1898

30

Чтобы спасти героинь следующей картины Васнецова «Три царевны подземного царства», понадобятся не только воображение, но и знания, смекалка. Рождалось это полотно как сказочная аллегория. Зловещие силуэты странных птиц маячат возле скал. Царевнам пора прятаться от них в подземном царстве. Тем более что дневной свет губителен для них.

Во что превратятся царевны, когда окажутся под землей?

Чтобы ответить на этот вопрос, тебе надо внимательно рассмотреть наряды красавиц. Одежда и головной убор одной из них кажутся отлитыми из золота. Такую ткань во времена Древней Руси называли «аксамит». Кажется , что она, как заколдованная, может стоять сама по себе и не падать. И секрет тут вовсе не сказочный: основу аксамита составляли золотые и се-

31
В. Васнецов
Три царевны подземного царства
1881

31

32
И. Билибин
Всадник Утро
Иллюстрация к книге «Василиса Прекрасная»
1900

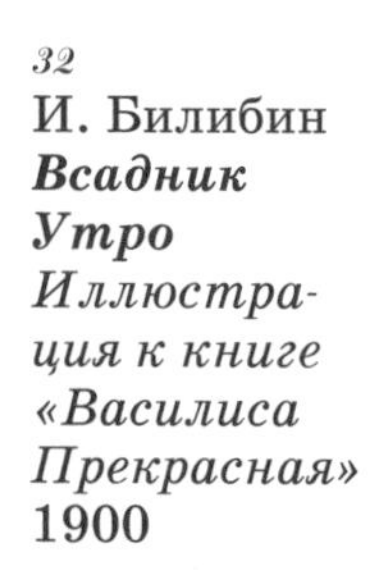

Ответ
Старшая — в золото, средняя — в самоцветы, младшая — в уголь.

32

33

34

ребряные нити, похожие на тонкую проволоку. Платье из такой ткани могло весить несколько килограммов и стойко «держало» форму. Драгоценный венец на второй красавице изукрашен самоцветами, как и весь ее наряд. А поодаль, в тени горы, скромно стоит самая младшая царевна. Она охраняет в подземелье свои сокровища. Нет, это не драгоценности. Они матово поблескивают на переднем плане картины. Знаменитый покровитель художников Савва Мамонтов заказал полотно Васнецову для своего кабинета, когда руководил строительством Донецкой железной дороги, по ней и перевозили эти сокровища.

33
И. Билибин
Всадник День
Иллюстрация к книге «Василиса Прекрасная» 1900

34
И. Билибин
Всадник Ночь
Иллюстрация к книге «Василиса Прекрасная» 1900

Конечно, великолепные наряды васнецовских царевен тебе понравились. Но их блеск меркнет рядом с завораживающим мерцанием красок картины «Богатырь». Ее написал самый «фантастический» из всех русских художников — Михаил Врубель. Его сказочный богатырь словно высечен из драгоценной горной породы или выложен из приглушенно поблескивающей мозаики. Он как будто «вырастает» у тебя на глазах и не умещается в рамках картины, «проламывая» ее вверху шлемом, — отсюда и необычный формат полотна. Если царевны были обитательницами подземного царства, то врубелевский богатырь — порождение этих загадочных недр. А мастерство художника можно сравнить с магической силой заклинания, которое вызвало этого исполина из подземелья.

35
В. Васнецов
Царевна-лягушка. 1918

У Васнецова в картине «Царевна-лягушка» силой заклинания обладает музыка, под которую пляшет героиня. В ритмический ряд складываются приплясывающие сапожки сидящих музыкантов, узоры на половицах и даже шеи летящих лебедей. Верхнее одеяние царевны с откинутыми рукавами кажется живым, а его зеленый волшебный цвет напоминает о ее чудесном превращении из лягушки в царевну.

На страницах сказки «Василиса Прекрасная», проиллюстрированной художником Иваном Билибиным превращения происходят прямо перед взором читателя. В предрассветном лесу вдалеке появляется белый витязь — вестник Утра. Красный всадник на следующий странице скачет как бы прямо на зрителя — День разгорается. А на следующей странице юный читатель замирает от страха: прямо на него из глубины леса конь выносит черного всадника — наступает Ночь, таящая новые испытания и превращения.

35

«Преданья старины глубокой»

Чем отличается быль от сказки? Немудреный вопрос! А почему былина похожа и на сказку, и на быль? На это ответить сложнее. Быль — это то, что происходило на самом деле. Но в былине она расцвечивается невиданными сказочными подробностями. Из уст в уста передавали их сказители, когда ходили по городам и весям. Из глубины веков дошло до нас имя легендарного гусляра-песенника Баяна.

Жил сто лет тому назад в славном городе Петербурге богатый человек по фамилии Бажанов. Отличался он щедростью души и воистину русским размахом во всех своих делах. Захотелось ему людей удивить да себя показать. Велел он найти такого художника, чтобы изукрасил дом его в стиле модном, современном («модерном» его стали называть).

...И вот на пиру богатырском старец Баян сидит да на гуслях играет. Как ударит он по струнам — оживают герои былинные: пахарь-богатырь Микула как из-под земли появляется, а Илья Муромец стрелу каленую прямо в глаз соловью разбойнику шлет, даром что тот на высоченном дубу среди черепов угнездился.

Ты уже догадался, что все эти герои смотрели на гостей с живописных полотен, которые по размеру смело можно было назвать богатырскими. Высота их до 3 метров доходила, а длина и того больше — до 7. И написал их вовсе не богатырь, а художник Николай Рерих. А краски-то какие для них живописец выбрал — густые, глубокие, но не яркие, не пронзительные, а матовые, будто дымкой

36
Н. Рерих
Баян. 1910

37
Н. Рерих
Илья Муромец. 1910

38

времени подернутые. Особые это краски, темперой называются, на яйце замешаны, не на масле. Такими красками в старину иконы писали. Смотришь на картины Рериха — и будто слышишь напевный голос былинника да звон гусельных струн. Недаром художник объединил полотна под названием «Богатырская сюита». Рерих к тому времени был уже знаменит, его прославила картина «Заморские гости». Написана она была не темперой, а масляными красками. Они такие звонкие, радостные и праздничные, что кажется, плывут гости-воины не торговым путем «из варяг в греки», а «мимо острова Буяна, в царство славного Салтана». Плывут открыто, не таясь, даже ладьи свои украсили разноцветными щитами, как чудесной драгоценной чешуей. Прислушайся: ты можешь услышать, как свежий ветер бьется в упругих парусах...

39

Что еще можно услышать, рассматривая картину Николая Рериха «Заморские гости»?

38
Н. Рерих
Микула Селянинович
1910

39
Н. Рерих
Заморские гости. 1901

40
Н. Рерих
Соловей-разбойник
1910

40

Ответ
Крики чаек.

Чудо-богатыри

41

К тому времени как Николай Рерих завершал свою «Богатырскую сюиту», другой художник-сказочник, Виктор Васнецов, уже подарил знаменитой Третьяковской галерее, в которой собраны лучшие работы русских художников, огромное полотно — «Богатыри». А потом придумал сказочное оформление для ее главного входа.

И сейчас тебе может представиться, что из трех ее высоких дверей вот-вот выедут Илья Муромец, Добрыня Никитич и Алеша Попович. Наверное, это самая известная его картина на былинно-сказочный сюжет. Ее ге-

«БОГАТЫРСКИЙ РАЗГОВОР»

Распознайте-ка, добры молодцы да красны девицы, кто из витязей самый старший «по званию» и какими приемами художник это выделил? По жесту, по стати богатырской догадайтесь об их характерах. Кто спокоен, уверен? Кто суров, дальновиден? А кто удал, да лукав?

Пусть подскажет верный ответ цвет коней ретивых. Один конь — что ветер в чистом поле, другой — что огонь, а третий — тяжел и могуч, как сыра земля.

42

43

44

41
Е. Бем
Добрыня Никитич
1893

42
В. Васнецов
Богатыри
1898

43
И. Билибин
Илья Муромец и гроб Святогора
1912

44
И. Билибин
Святогор
1938

рои тебе хорошо известны. Художнику мы обязаны тем, что представляем былинных богатырей именно такими.

Под тяжестью Ильи Муромца земля треснула и словно вздыбилась. Кажется, не носила она еще богатыря такой силы и мощи необъятной. Но так ли это? Найди на иллюстрации Ивана Билибина к книге былин фигуру Ильи. Почему же он здесь такой маленький? «Пробеги» глазами рисунок снизу вверх и ты увидишь тот путь, который проехал Илья с легендарным богатырем-великаном Святогором: через леса дремучие, через холмы высокие. А в конце того пути — алый гроб, окованный железными обручами. Напрасно Илья пытается разрубить их. Не выйдет уже на белый свет его старший товарищ Святогор. Захотел он узнать, впору ли ему гроб, и попал в западню. Не могла уже земля носить его, прогибалась под его тяжестью и упокоила в богатырском гробу.

Младшие сотоварищи Ильи на картине «Богатыри» — это Добрыня Никитич и Алеша Попович. У каждого из них свой характер. Один — уже готов к бою. Посмотри на его коня и поймешь: он будто говорит своему хозяину, что враг близко. Другой богатырь, Алеша Попович, тоже не подпустит врага — он крепко держит в руках свое любимое оружие — лук со стрелами.

А за спиной витязей — вся Русь-матушка с ее бескрайними просторами и царственным величием грозового неба!

45
В. Васнецов
Фасад Третьяковской галереи
1900

Ответ
Илья Муромец — главный. Он невозмутим и спокоен, конь его тяжел, как земля; Добрыня — дальновиден, его белый конь быстр как ветер; Алеша Попович — горяч и лукав, его конь как огонь.

45

Испытания и сражения

46
В. Васнецов
Бой Добрыни Никитича с семиглавым Змеем Горынычем
1918

Нелегка ноша богатырская! В былинах и сказках богатырю часто приходится решать, осилит ли он то, что возложено на него судьбой. Хватит ли у него решимости, сил и терпения преодолеть препятствия на своем пути? На картине Васнецова «Витязь на распутье» всадник на коне в раздумье замер перед камнем с предостерегающей надписью: «Как прямо ехати — живу не бывати. Нет пути ни проезжему, ни прохожему, ни пролетному». Решай вместе с витязем, ехать ли ему дальше. Обрати внимание на ржавые, похожие на засохшую кровь отблески зари на самом камне; на череп и замшелые валуны — они как гигантские кости. Зловещие вороны выжидающе смотрят на витязя: что он решит? В былинах конь зачастую говорит человеческим голосом и подсказывает богатырю, что ему делать. В этой картине «говорящим» становится мрачный колорит.

Случается так, что картина, написанная на историческую тему, больше похожа на сказку. Глядя на картину Рериха «Поход князя Игоря», забываешь, что в основе ее лежит историческое событие — сражение русского князя с половцами. Яркие, «звучные» краски, скупо очерченные, но выразительные силуэты воинов в их неудержимом движении вперед — все это прочитывается как зачин сказочной

1. **Вспомни русские пословицы, где есть слово «семь». Какая из них больше других подходит к данному случаю?**
2. **Чем завершатся испытания витязя? Может, цвет коня подскажет тебе ответ?**

47
В. Васнецов
Витязь на распутье
1882

48

48
Н. Рерих
Поход князя Игоря. 1910

былины. Красные, «червленые», щиты, по которым в XII веке узнавали русичей, озарены солнечным сиянием. И в тоже время на войско с неба падает тревожная тень, цвета ультрамарина, — это сама природа через солнечное затмение предвещает войску неудачу.

Полотно Васнецова «После побоища князя Игоря Святославича с половцами» создано по мотивам замечательного произведения древнерусской литературы «Слова о полку Игореве». Жаркой и страшной была битва. Степные орлы будто продолжают бой, который закончился для погибших воинов. В картине природа разговаривает, как живое существо. Пали защитники Руси-матушки, но сама Русская земля жива и полна светлой скорби о павших. Торжественно восходит над полем брани розовеющая луна, словно отразившая пролитую на поле сражения кровь. Васнецов не пугает зрителей потоками крови. Никнут травы от жалости, ромашки и колокольчики заглядывают в мертвое лицо отрока, «изронившего душу жемчужную из тела храброго», оплакивают его. И видишь ты, как приподнимается в последнем усилии почти безжизненная рука мальчика-воина. Нет, не хватит у него сил вырвать стрелу из груди, а вот сорвать несколько цветов как последний привет родной земли — эту возможность ему художник-сказочник подарил.

Васнецов верил в то, что не переведутся на Руси витязи, готовые со Злом сразиться и красоту из полона вызволить. В каждом подвиге богатырском заключена особая символика, раскрывающая мудрость жизни. Смотришь на картину Васнецова «Бой Добрыни Никитича с семиглавым Змеем Горынычем» и кажется, что видишь Змея глазами самого богатыря. Для этого художник выбрал особый ракурс: он смотрит на него снизу вверх. Когтит Горыныч лапами воздух, слово в клочья его раздирает. Красный плащ Добрыни как победное знамя, но до конца боя еще далеко. Семиглавый Змей наделен сверхъестественной силой. Семь, как ты знаешь, магическое число.

Ответы

1. Семь бед — один ответ.
2. Белый цвет — цвет победы.

49

49
В. Васнецов
После побоища Игоря Святославича с половцами. 1880

Сказочные змееборцы на защите красоты

50
И. Билибин
Добрыня и Забава Путятишна

Ответ
Исчезнувший город отразился в озере.

50

Испокон веков доблестные витязи не только побеждали чудовищ, но и спасали красавиц. Сам Добрыня отбил у змея красу ненаглядную Забаву Путятишну.

На полотне Рериха «Змиевна» есть не только загадочная красавица, но и четыре стихии мира — Огонь, Земля, Вода и Воздух. Они зашифрованы. Огненные крылья змея отражаются в водяной бездне, и она закипает, грозит герою гибелью. Оттолкнулся от матери сырой земли богатырский конь и понесся, как ветер. А грива и хвост его зажглись не адским, как крылья змея, а солнечным огнем.

Другая картина Рериха «Битва со змеем» напоминает волшебный ковер. Она даже обрамлена сказочным орнаментом с изображением фантастических птиц и невиданных зверей. Узор похож на детский рисунок. Такой стиль называется «примитивизмом», но это не означает, что мастер, закончивший Академию художеств, не умел хорошо рисовать. Просто Рерих писал это «змееборство», увидев и почувствовав его сквозь магический кристалл — детское воображение. А изображена царевна Забава и впрямь

51
Н. Рерих
Битва со змеем

51

52
Н. Рерих
Змиевна
1906

53
М. Сергеев
Сказание о невидимом граде Китеже

52

необычно, даже смешно. Она заключена в крохотный дворец, больше похожий на... клетку. Вблизи дворца прогуливается прекрасный Единорог — символ чистоты и непорочности юных дев.

В сказке спасти красоту можно было, лишь вступив в открытый бой со Злом. Но в древнем русском сказании дева по имени Феврония и ее родной город несказанной красоты, который грозились захватить враги, были спасены иным, еще более необыкновенным образом.

На картине современного художника Михаила Сергеева запечатлен самый драматический момент сказки, похожей на быль. Захватчики вплотную подошли к озеру, на берегу которого красовался тихий сияющий град Китеж. Уже были выпущены по нему первые стрелы, как вдруг... он исчез. Будто царственное небо приняло город в свои объятия, и он... растаял, растворился среди золотисто-розоватых облаков, неспешно плывущих над озером. Увидеть его можно, а победить — нет!

Всмотрись в картину «Сказание о невидимом граде Китеже». Может, он не совсем исчез?

53

Садко в подводном царстве

54
И. Репин
Садко. 1876

Русь в давние времена была страной дремучих лесов и бескрайних полей, но образ Моря-Окияна Синего часто появляется в ее сказках и манит своей загадочностью.

Когда-то долгими зимними вечерами в гостеприимном доме Саввы Мамонтова в Абрамцево нередко засиживались допоздна такие известные художники, как Виктор Васнецов, Илья Репин, Михаил Врубель. Эти взрослые, серьезные люди завороженно слушали былины и сказки. И образы русского фольклора властно вторгались в их творческие замыслы. Илья Репин живо представлял себе купца и гусляра Садко. И возникало желание написать такую картину, чтобы вслед за сказочным героем погрузиться в морскую пучину. Но это оказалось не просто. Морской царь все же сыграл с непрошеным гостем злую шутку...

Когда Репин в Париже закончил огромную картину «Садко», многим ценителям живописи показалось, что это не волшебное царство, а «аквариум» с раскрашенными красотками русалками. А Репину хотелось создать картину «самую фантастическую, от архитектуры до расте-

55
Н. Рерих
Садко. 1910

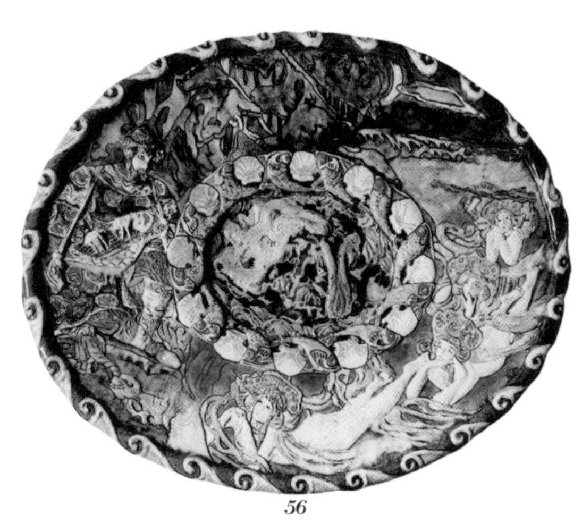

56

57

58

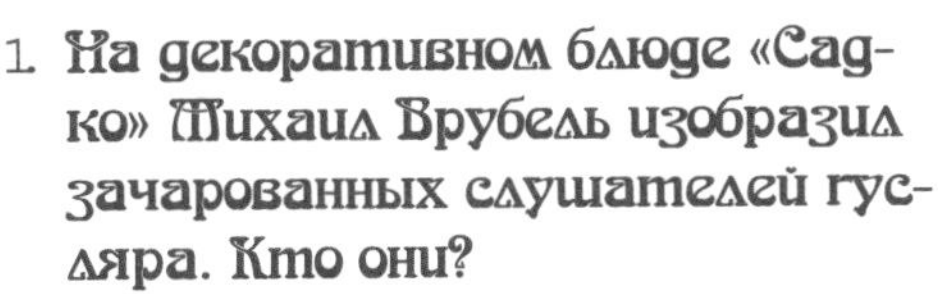

1. **На декоративном блюде «Садко» Михаил Врубель изобразил зачарованных слушателей гусляра. Кто они?**

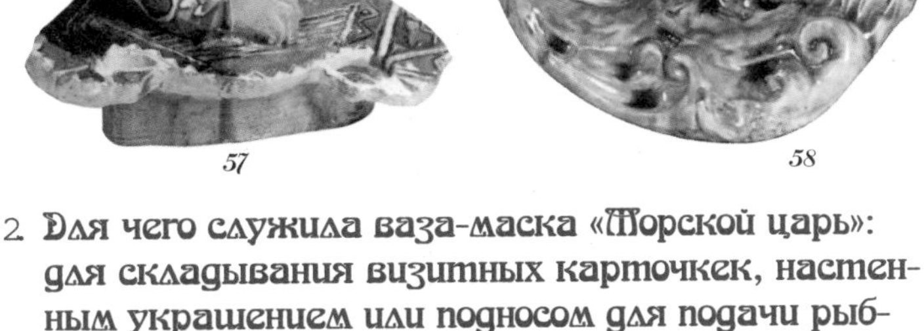

2. **Для чего служила ваза-маска «Морской царь»: для складывания визитных карточек, настенным украшением или подносом для подачи рыбных блюд?**

ний и свиты царя». Обидно, но самыми убедительными на полотне получились только исконные обитатели морских глубин — рыбы. А череда дочерей морского владыки, выплывающих на зрителя из глубины, напоминает парад невест всех времен и народов. Среди них ты можешь найти и знойную испанку, и томную восточную деву, а в конце процессии — даже даму в средневековом костюме с «двурогим» головным убором. Их наряды нелепы и претенциозны, но, подняв глаза вслед за Садко, ты встречаешься с поэтическим и узнаваемым образом — девушки-чернавушки. Воистину даже очень талантливому художнику не всегда удается роль сказочника.

А молодой Михаил Врубель знал особый секрет превращения не только картины, но и скульптуры в настоящую сказку. В абрамцевской гончарной мастерской художник создавал керамические работы волшебной красоты. Их называли майоликой. Создание майолики похоже на магический обряд: сначала из глины создается пластическая форма, потом ее расписывают красками, в состав которых входят окислы металлов. После того как форма обжигается в специальной печи, она приобретает фантастические переливчатые оттенки. Эффекты такой подсветки перетекающего цвета называются «люстром».

56
М. Врубель
Садко
Декоративное блюдо
Начало XX века

57
М. Врубель
Садко
Статуэтка

58
М. Врубель
Морской царь
Ваза-маска
1899

Ответы

1. Садко слушают морские царевны, рыбки и сам морской царь.
2. Для визитных карточек.

Секретное сказочное оружие

59
В. Васнецов
Несмеяна-царевна
1916

59

Теперь настало время отдохнуть от испытаний, подвигов и заклинаний. Народная мудрость всегда подсказывала: чтобы победить страх, надо посмеяться над ним, и тогда самое страшное покажется жалким и смешным. Оказывается, смех — это самое грозное сказочное оружие. На открытке, придуманной Билибиным в 1913 году, Змей Горыныч восседает на утесе. Но бессильно повис его хвост, словно извиняясь, он высовывает все три своих языка и растерянно таращит глаза. Горыныч вцепился когтями в скалу, будто боится с нее упасть, даже крылья свои могучие не поднимает. Не Змей, а карикатура какая-то. В забавной открытке сказалась любовь Билибина к народным картинкам-лубкам безымянных русских мастеров. На одной из таких картинок, отпечатанной в 1830 году, «Битва Еруслана Лазаревича с царем Змейским» Змей выглядит не страшно, а забавно. Еруслан в грудь чудища копьем бьет, а тому словно щекотно, хотя кровь из порубленной шеи так и брызжет.

Насмешливость русского ума воплощает образ самого молодого из богатырей — Алеши Поповича. Всмотрись в его облик на картине Васнецова. Пригожий Алеша по-

60
М. Микешин
Млад Попович — свет Алеша-богатырь. 1895

60

61

61
Неизвестный художник
Битва Еруслана Лазаревича с царем Змейским
1830

Ответ
Василиса Микулишна и девушка-чернавушка.

хож на красну девицу. В былинах он настоящий пересмешник, иногда и в девичье платье переодевается. Там, где не может врага силой взять, хитростью одолеет.

На картинке М. Микешина он и не богатырь вовсе, а сказочный Иван Царевич. Краски здесь яркие, как на конфетной обертке, да и сам Алеша такой сладкий-сладкий, как пряник. А внизу подпись «картинная»: «Млад Попович — свет Алеша-богатырь воевать идет, ухмыляется, а боярышни сквозь трескучий тын на красавца приглядаются, а и тын трещит, нагибается, а сердечки в них надрываются». Смех смехом, но существует вполне научное предположение, что одним из исторических прообразов былинного Алеши могла быть девушка-богатырка Алена Поповна. И ничего удивительного в этом нет.

Как зовут девушек-богатырок, которые в былинах совершают подвиги?

62

63

62
И. Билибин
Змей Горыныч
Художественная открытка
1913

63
В. Васнецов
Алеша Попович
Фрагмент картины «Богатыри»
1898

«Смешинка» в сказке

64
Е. Поленова
Зверь

Ох, лиха чернавушка! Огонь-девица! На иллюстрации, сделанной художником Рябушкиным сто лет назад, гоняет она почем зря мужичков новгородских. Да не мечом, не палицей, а коромыслом! Как говаривали в старину: «Зелье, а не девка!» Ухватистая! Ишь кулачищата какие – в полголовы мужицкой. Понятно, что это своеобразный намек на то, что перевелись на Руси настоящие мужчины-богатыри. Приходится чернавушкам-красавицам в богатырок превращаться. Но и на зверя сказочного, лютого можно посмотреть, как теперь говорят, не традиционно. Художница Елена Поленова так и сделала в картине с устрашающим названием «Зверь». На первый взгляд бедной девице-красавице грозит страшная опасность, а она о ней и не подозревает: в дивном саду ее подстерегает мерзкое чудище. Но не тут-то было! Художница пускает в ход секретное сказочное оружие – тонкую иронию. Зверь-то похож на громадного червяка с непомерно большой головой. И в глазах у него не кровожадный блеск, а, скорее, растерянность. Пасть раскрыл – а оттуда один зуб торчит сиротливо. Похоже, зверь так обрадовался появлению красы ненаглядной, что готов сам подарить ей аленький цветочек, который спрятан в узорном сплетении веток деревьев чудо-сада.

64

65
И. Билибин
Пляшущая Баба-яга
1908

65

Секретное оружие с ласковым названием «смешинка» способно творить чудеса. Хватит дрожать малышам при упоминании одного только имени Бабы Яги!

Иван Билибин отказывается даже имя ее писать с большой буквы. Разве уважающая себя ведьма может показаться в общественном месте без ступы? А на его картинке «Пляшущая Баба-яга» у нее даже помела нет. Видно, шла по воду да заслышала веселый наигрыш, бросила ведра и давай плясать. Линии билибинского рисунка здесь такие причудливые, что с трудом верится, что у этой веселой старушки нога, как свидетельствует сказка... костяная!

66

Напоследок, чтобы не только не бояться Змея, но и совсем его приручить и использовать его образ в мирных целях, не хотел бы ты хоть разок попить чаю с Горынычем? Да так, чтобы он тебе еще и прислуживал? Не боишься? Если так, садись за стол да полюбуйся на чайный сервиз под названием «Змей Горыныч».

Художница «поймала» быстрой кистью образ Змея, но не в клетку посадила, а перенесла на пузатый чайник. В самом деле, нечего ему огонь из пасти даром переводить! Пусть попыхтит да не даст чаю остыть. Богатырь-победитель и краса ненаглядная составят тебе компанию за чаепитием.

66
А. Рябушкин ***Девушка-чернавушка побивает мужиков новгородских.*** 1898

Придумай свой вариант росписи подобного сервиза. Герои каких сказок подойдут для росписи чашек и блюдец?

67
Т. Беспалова-Михалева ***Змей Горыныч.*** *Сервиз* 1956

67

Ответ

Предлагаем тебе подумать над сказками «Аленький цветочек», «Жар-птица».

Язык сказочных символов

После сказочной «смешинки» можно тихо помечтать, погрустить и даже немного пофилософствовать. И в этом сказка тоже будет помогать.

Мечты способны неузнаваемо преобразить скучную повседневность, и тогда она сможет раскрыть свои сокровенные тайны. Так считали художники-символисты. А теперь послушай странную историю.

Не в «тридевятом царстве, тридесятом государстве», а в городе Киеве в 1886 году жила-была девочка. Звали ее Маша. Отец Маши был ростовщиком, то есть давал деньги в долг под залог ценных вещей. Он был очень расчетливым и каждому драгоценному предмету знал настоящую цену. Однажды к нему в лавку пришел молодой человек, одетый небогато, но изысканно. Он попросил ссудить его деньгами, а потом стал любоваться сокровищами, которых в лавке было великое множество.

68

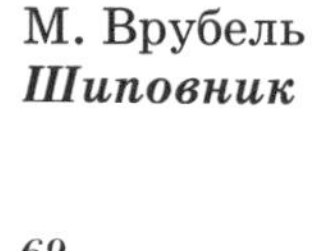

68
М. Врубель
Шиповник

69
М. Врубель
Девочка на фоне персидского ковра
1886

69

Маша видела, как он перебирал светящиеся жемчужины ожерелья, поглаживал бархатистый ворс старинных ковров, восхищенно касался поблескивающих насечек на ножнах восточных кинжалов. «Такие чуткие пальцы могут быть только у художника или музыканта», — определил наметанным глазом ростовщик. И оказался прав. Художник Михаил Врубель, а это был именно он, мог часами любоваться переливами света в драгоценных камнях, как будто знал о них больше, чем самый опытный ювелир.

Когда он написал портрет Маши, отец не сразу узнал дочь и хотел уже отругать художника. Однако грустный и чуть укоризненный взгляд «Девочки на фоне персидского ковра» остановил его. Маша, такая резвая в жизни, превратилась на картине в печальную героиню восточной сказки. В красно-черных и золотых красках ковра, тяжко нависающего над ней, словно переплелись роковые страсти: любовь, гордость, месть. Прекрасные ожерелья на ее хрупкой шее — как оковы, которые не дадут девочке вырваться из этой роскошной ловушки. В руках у нее — роза и кинжал. И ростовщик понял, что это знак любви и смерти. Красота, попавшая в золотой плен… Пленница, готовая на смерть, чтобы обрести свободу… Сказочный портрет должен был открыть глаза ростовщику на будущее дочери. Произошло ли прозрение? Об этом мы уже не узнаем. «Девочка на фоне персидского ковра» хранит свою тайну и по сей день.

В пору своего пребывания в Киеве полунищий художник вынужден был давать частные уроки рисования. Среди его учениц были и юные гимназистки, и знатные дамы. Обучая их технике рисования цветов, Михаил Врубель оставил множество настоящих шедевров. В натурных набросках ему удалось показать «душу» цветка. Скромный шиповник, загадочный ирис — как заколдованная душа человека. Она прекрасна, но страдает от невозможности рассказать о себе.

Михаил Врубель совершил невозможное: помог душе человека выразить себя через нежность красок и тонкость линий этих зачарованных цветов. Он обладал уникальным даром — видеть в каждом предмете и явлении что-то особенное, скрытое от поверхностного взгляда. Его «Роза» говорит с нами на сказочном символическом языке. Это знак любви и нежности художника к его прекрасной даме. Он пишет цветок акварелью, едва касаясь кистью бумаги. Роза распускается у тебя на глазах, и тут же ее нежные лепестки закручиваются и начинают увядать. Художник пишет эту работу в больнице, когда безумие ненадолго оставляет его. Но уже настигает слепота. Завеса сумрачного фона пытается поглотить розу. А она, как душа художника, еще полна благоухания и любви, но уже обречена на гибель. Через полтора года художник Михаил Врубель ослепнет.

О чем тебе рассказывают цветы? Что навевает благоуханный запах розы? сирени? лилии?..

71

70

70
М. Врубель
Белый ирис
1886—1887

71
М. Врубель
Роза. 1904

Красавицы Врубеля и их проклятие

72

72
М. Врубель
Портрет Н. Забелы-Врубель
1898

Во многих картинах Врубеля угадывается образ его жены, замечательной певицы Надежды Забелы.

Как рассказывает легенда, рыцарь Жоффруа Рюдель влюбился в прекрасную Мелисанду, ни разу не видев ее, и отправился на поиски этой чудесной принцессы. Врубель тоже влюбился сначала в голос певицы Забелы, а едва увидев ее, тут же предложил стать его женой. Их любовь была похожа на сказку! Ее не смогла победить даже трагическая болезнь Врубеля. Он любил придумывать для любимой необыкновенные театральные костюмы. Создал для нее «струящееся» платье морской царевны. А потом запечатлел ее образ в акварели «Н.И. Врубель в роли Волховы в опере Н.А. Римского-Корсакова "Садко"».

1. **Как ты думаешь, какое название больше всего подходит к необыкновенному платью: сомнение, улыбка, мечта?**

На портрете 1898 года жена художника изображена в платье для прогулок, но она превращается в нем в какой-то неведомый цветок — розу, хризантему, гвоздику?.. Странному платью, в котором два полупрозрачных чехла — фисташковый и лиловый — просвечивают один через другой, Врубель названия не дал, но каждая авторская работа должна иметь название.

73
М. Врубель
Принцесса Греза. 1896

74
М. Врубель
Полет Фауста и Мефистофеля
1896

В опере «Сказка о царе Салтане» жена художника пела партию царевны-лебеди, а костюмы и декорации для спектакля создал сам художник. В картине на фоне мерцающего моря появляется героиня сказки. И на глазах у зрителя разворачивается бесподобное по красоте действо: правое крыло царевны уже обратилось в жемчужную морскую пену, а левое как будто каменеет, застывая перламутровым оперением. В картине есть особый секрет слияния образов лебедя и царевны. Рука царевны украшена перстнями и похожа на вытянутую голову птицы. Всмотрись и увидишь на полотне не одно, а два существа. Еще не утратив первоначального облика лебедя, у тебя на глазах она «оборачивается» загадочной девой. Для Врубеля его жена всегда была женщиной из сказки. Даже неправильные черты лица, удлиненные кисти рук он обращал в нечто магически привлекательное. Он наделяет ее чертами даже

73

Ответы

1. Лучший вариант — «Улыбка». Блики на платье похожи на очертания губ.
2. Это чертополох.
3. Портрет, конечно, фантастический.

74

75

75
М. Врубель
***Царевна-лебедь*.** 1900

76
М. Врубель
***Маргарита в саду*.** 1896

77
М. Врубель
Царевна Волхова. Н.И. Врубель в роли Волховы в опере Н.А. Римского-Корсакова «Садко»
1897—1898

2. Найди на панно растение — символ дьявольского проклятия, которое Мефистофель посылает сумрачному городу?

3. Можно ли картину «Царевна-лебедь» назвать портретом жены художника? Если можно, то каким: характерным, фантастическим или реалистическим?

нежную Маргариту — возлюбленную Фауста, героя средневековой легенды, который получил вечную молодость, отдав дьяволу за это свою бессмертную душу. Панно с изображением этих героев были написаны для украшения особняка С. Морозова.

Фигура Маргариты вырастает в саду как лучезарное деревце, словно вышитое легкой пунктирной линией-стежком. Это Дух Вечной Женственности, о которой в конце XX века грезили и художники, и поэты. Маргарита не создана для грубого материального мира, как «мимолетное виденье», она готова раствориться в мире цветов, деревьев, облаков. Но дьявол через свое воплощение — Мефистофеля — творит козни: Фауст, безумно любящий Маргариту, вынужден бежать из ее города, а она сходит с ума.

Сказочные кони, взвиваясь над шпилями башен средневекового города, уносят прочь двух всадников. Эту фантастическую, грандиозную мистерию Врубель изобразил на панно «Полет Фауста и Мефистофеля».

76

77

Демон и тайна голубого цвета

78

78
Эмблема «Голубой Розы»

При создании символических работ Михаил Врубель, как правило, использовал краски фиолетовых, сине-голубых и лиловых оттенков. Очень часто в его фантастических полотнах появляются цветы, похожие на драгоценные кристаллы. Они кажутся выпуклыми, объемными, созданными рукой не художника, а скульптора.

Иногда художник использовал не только кисть, но и мастихин — специальный нож, которым накладывают краску на палитру или соскабливают ее.

Помнишь Данилу-мастера из сказки «Каменный цветок»? Как тяжело далось ему воплощение небывалого замысла — из самоцветного камня создать живую форму чаши-цветка! В картине «Демон (сидящий)» мощный дух — страдающий, скорбный и одинокий — изображен на горе, среди невиданной красоты цветов. Лучи заката превращают их то в блистающую мозаику, то в живые цветы. Посмотри на драгоценную голубую розу, написанную в картине «Демон»: волшебный цветок, похожий на голубые кристаллы, отражает неземной свет.

В 1907 году группа художников-символистов провела выставку под таким же странным названием — «Голубая роза». Их картины тревожили некой загадочностью.

Одним из своих духовных учителей художники считали Врубеля. «Голуборозовцы» не хотели «отражать жизнь», им хотелось «вдохновенно угадывать» ее, спрятанную под покровом тайны.

Художников-символистов занимали, в числе прочих, и тайны красочных сочетаний. Можно ли, например, изобразить сирень в обмороке?

— Какая глупость! — ответят те, кто разучился удивляться. Но ведь «обморок» происходит от слова «морок», то есть наваждение.

79
М. Врубель
Демон (сидящий)
1890

79

Ответ
Современники считали художника провидцем.

80
М. Врубель
Сирень. 1900

81
Н. Сапунов
Натюрморт. Вазы, цветы и фрукты. 1912

Врубеля называли художником-«визионером». С английского это можно перевести как «мечтатель», «провидец» или «фантазер». Какое из этих определений больше подходит автору «Сирени»?

И художник Врубель передает, как из переливающихся аметистовых, лиловых соцветий — о наваждение! — появляется фея сирени. Она подобна девушке со светящимся лицом и нежными, как лепестки цветка, губами. Фея появляется, чтобы тут же исчезнуть.

Художник нам изобразил
Глубокий обморок сирени.
И красок звучные ступени
На холст как струпья положил.

О. Мандельштам

Куст сирени растет и ширится, занимая все пространство холста. В нем появляются новые загадочные образы. И каждый, кто смотрит на картину, видит в ней что-то свое.

Какие образы видятся тебе?

Сны и призраки

82

82
М. Сарьян
Озеро фей
1905

Когда на склоне лет иссякнет жизнь моя
И, погасив свечу, опять отправлюсь я
В необозримый мир туманных превращений...
Пускай мой бедный прах покроют эти воды,
Пусть приютит меня зеленый этот лес.

Н. Заболоцкий

Приходилось ли тебе встречать выражение «река времени»? На картине Виктора Борисова-Мусатова «Призраки» ты можешь увидеть, что происходит на ее загадочных берегах. Время быстротечно, оно имеет лишь одно направление: от прошедшего к будущему. А в прошлое ты можешь вернуться лишь в своих снах и воспоминаниях. На полотне художника оживают «призраки прошлого». В старом усадебном парке сгущаются сумерки. Дорожка вполне конкретного парка в имении Зубрилово, где писал этот пейзаж художник, обретает фантастические очертания. Картина наполняется тихим шелестом листвы и шепотом давно исчезнувших голосов. Мазки матовой темперы положены так легко, что сквозь них просвечивает плетение холста, а ритм фигур — неверный, ускользающий. Их линии колышутся, тают, и кажется, что ты слышишь тихую мелодию.

Многие картины художников «Голубой розы» отличаются сказочной музыкальностью. Но ты не слышишь, ты видишь эту музыку!

83
В. Борисов-Мусатов
Водоем
1902

83

84
В. Борисов-Мусатов
Призраки
1903

На картине Борисова-Мусатова «Водоем» девушки на берегу замерли в странном полусне. Движения фигур, линии и складки их платьев «созвучны» отражениям деревьев и облаков в воде. Все вместе сплетается в какую-то гипнотическую мелодию. Чем они околдованы? Сравни их с героинями «Голубого фонтана» Павла Кузнецова. И послушай сказку.

Далеко-далеко, в стране, где растут голубые цветы, был обычай: молодые женщины, услышав звук волшебной флейты, шли на берег водоема и засыпали там. Их сны были очень схожи: они опускались в глубину водоема и оказывались в царстве голубых струй. На дне озера бил волшебный фонтан. Там нельзя было разговаривать, чтобы не спугнуть чудо. Рядом с фонтаном сидели две женщины, погруженные в сон. С каждым их вздохом фонтан выбрасывал струи воды. Они высоко взмывали вверх и рассыпались тысячами сверкающих брызг. Некоторые из них застывали в воздухе, превращаясь в ветви дерева с прозрачными голубыми листьями. А самые тяжелые струи падали вниз и превращались во что-то живое.

Женщинам казалось, что они видели там младенцев с широко открытыми глазами. Они покачивались на играющих струях, а потом пропадали в чаше фонтана, которая светилась мягким, ласковым светом. Свет этот был так прекрасен, а музыка так сладостно баюкала! И женщинам казалось, что еще совсем немного — и случится чудо: в глубине фонтана они увидят колыбель зарождения жизни.

85
П. Кузнецов
Голубой фонтан
1907

Снегурочка в сказке и на сцене

86
В. Васнецов
Снегурочка
Эскиз театрального костюма
1885

87
В. Васнецов
Снегурочка
1899

Мы привыкли к тому, что у сказки должен быть счастливый конец. Но в весенней сказке в стихах «Снегурочка», написанной драматургом Александром Островским, конец печальный. Да и декорации, созданные Виктором Васнецовым сначала для сцены домашнего театра Саввы Мамонтова, а затем к опере «Снегурочка», были публике непривычны. Оформление этого спектакля в 1882 году привело к сказочным открытиям, важным не только для театра, но и для всей живописи того времени. До Васнецова роскошные и вычурные декорации путешествовали из одной постановки в другую: сегодня это была русская сказка, а завтра восточная. В «Снегурочке» художник доказал: и декорации, и костюмы, и му-

87

86

зыка на сцене должны слиться в единое целое. А русское народное искусство — неисчерпаемый источник для сказочного оформления. Композитор Римский-Корсаков, написавший музыку к «Снегурочке», обладал уникальной способностью видеть музыку в красках. Васнецов, написав декорации праздничными, светлыми красками, помог зрителям «увидеть» на сцене и музыку, и поэтическое слово. Эскизы костюмов помогали актеру найти нужный рисунок роли, то есть характер образа. Глядя на щегольской наряд Купавы, на ее горделивую осанку, понимаешь, какой своенравный и капризный характер у соперницы Снегурочки, как она стремится к радостям жизни. А хрупкая фигурка Снегурочки, с белой как снег лентой в волосах и такими трогательными, как она сама, «лапоточками», кажется такой беззащитной в мире страстных чувств, которыми живут обитатели царства Берендея. Как молила Снегурочка свою мать Весну подарить ей свой венок, обладавшим волшебным свойством: «Любви земной короткое мгновенье дороже мне годов тоски и слез!» Снегурочка могла жить вечно и оставать-

88

89

ся юной, но предпочла краткий миг жаркой человеческой любви к пастуху Лелю и погибла — растаяла.

Рассмотри узоры снегурочкиной шубки на картине, когда она выходит из темного леса на снежную поляну. Не правда ли, неожиданными кажутся вышитые на ней ягоды земляники? Может, художник хотел сказать, что девушку, вылепленную из снега, ждет сладкая радость земного чувства?

Виктор Васнецов, оформляя спектакль, должен был придумать костюм и для роли, которую исполнял он сам. В самом начале домашнего спектакля «Снегурочка» он появлялся на фоне декорации зимнего ночного леса и говорил густым басом: «Любо мне, любо!»

Какую роль исполнял Васнецов в пьесе «Снегурочка»: царя Берендея, Леля или Деда Мороза?

88
В. Васнецов
Весна Красна
Эскиз театрального костюма. 1885

89
В. Васнецов
Снегурочка и Лель. *Эскиз театральных костюмов*
1885

90
В. Васнецов
Купава
Эскиз театрального костюма. 1885

91
В. Васнецов
Дед Мороз
Эскиз театрального костюма. 1885

90

91

Ответ

Роль Деда Мороза.

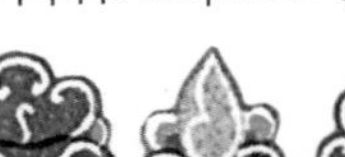

«1001 ночь», или как сказка помогла увидеть музыку

92
Л. Бакст
Красная султанша
Эскиз театрального костюма

92

Вслед за Васнецовым русские живописцы начала XX века совершили настоящую «сказочную революцию» не только на российской, но и на европейской сцене. Недаром их именовали «мирискусниками», по названию творческого объединения «Мир искусства». Впервые художник, вместе с композитором и режиссером, стал соавтором музыкального спектакля. В 1910 году на язык живописи были «переложены» знаменитые восточные сказки «Тысяча и одна ночь». Магическими «переводчиками» стали Леон Бакст и Валентин Серов. Казалось, Бакст владел той волшебной палочкой, которая способна одним движением оживить красочные пятна декораций и даже из театральных костюмов извлечь цветовые аккорды.

Что хотел выразить художник, «одевая» султаншу в костюм красно-синих тонов? Простит ли султан своей жене измену?

93
Л. Бакст
Эскиз театральной декорации к балету «Шехеразада». 1910

93

94

В балете «Шехеразада», поставленном Л. Бакстом по мотивам арабских сказок на музыку Н. Римского-Корсакова, зрителям представлялось, что они не только видят Восток, но и чувствуют его сладкое и пряное благоухание. Декорации были написаны широкой, свободной, виртуозной кистью. Вызывающий контраст ярко-зеленых занавесей, подхваченных золотыми шнурами, и красно-оранжевого ковра волновал напряженным ожиданием чего-то ужасного. Синий сумрак в глубине сцены тревожил ощущением приближающейся катастрофы. В костюмах, созданных по эскизам Бакста, цвет обладал магическими свойствами. Это ли не чародейство: подбирая оттенки, передавать в красках отчаяние, гордость, а иногда и дикую необузданность! Ниспадающие, «обреченные», линии наряда «Красной султанши», очертания ее изогнутого меча способны предсказать ее судьбу.

В истории театра не было случая, чтобы публика приветствовала аплодисментами... занавес. Он был оформлен по эскизу Валентина Серова. Высоту его можно сравнить с высотой четырехэтажного дома! Возникало ощущение, что мастер обратился к помощи джинна из восточной сказки и тот увеличил старинную персидскую миниатюру до грандиозных размеров. Сейчас местопребывание этого сказочного шедевра не известно, но ты можешь внимательно рассмотреть эскиз, который вовсе не джинны, а художники-исполнители переводили на холст. На занавесе сюжеты из сказок Шехеразады сплетены в прихотливый узор. Тут и Синдбад-мореход, и султан Шахрияр, и чернокожие невольники.

«Мирискусники» не уставали удивлять театральную публику сказочной изобретательностью. Так сказка покорила сцену и помогла зрителям «увидеть» музыку.

94
В. Серов
Эскиз занавеса к балету «Шехеразада». **1910**

Ответ
Султанша будет наказана мужем за измену.

Как художники-сказочники «заколдовали» книгу

95, 96
Д. Митрохин
Иллюстрации к сказке В. Гауфа «Маленький Мук». 1912

Сто лет тому назад вождь «мирискусников» Александр Бенуа понял очень важную вещь: азбука для детей должна быть сказочной. Пусть юному читателю никогда не будет скучно рассматривать ее картинки, фантазируя и упражняя свое воображение. Слово «иллюстрация» означает «изображение». В «Азбуке» изображена «кладовая памяти» художника и искусствоведа, которым был Бенуа. А кто из вас не любит рыться в кладовке! Обложка «Азбуки» — это целый сказочный мир. «Ученье — свет», — говорит народная мудрость, поэтому верхний «ярус» рисунка на обложке блистает огнями рождественской елки и золотом крыльев ангелов-хранителей. Злая нечисть изгнана из книжки. Она убегает за кулисы «театра жизни». Ветры дуют изо всех сил, прогоняя ее. А на уютном облачке расположились симпатичные герои. Здесь чудной великан и звездочет в колпаке, вождь краснокожих и озорной арапчонок с саблей. Именно с ним подружился двухлетний сын Бенуа, Коля, для которого и была придумана «Азбука». Эта книга — для внимательного рассматривания.

95

96

Можно долго разглядывать лист с таинственной и важной буквой «Э». Она словно покачивается в фонарике, освещая празднество в королевстве эльфов. Здесь все так эфемерно и элегично. А сколько экзотики в экипаже их королевы, который примчали кузнечики! Эльфы-кавалеры дают тебе настоящий урок этикета. Как элегантны их поклоны, изысканны движения, с каким энтузиазмом они ухаживают за прекрасными дамами!

«Мирискусники» любили использовать в своих рисунках стилизацию, то есть выполняли их в стиле, характерном для разных времен и даже народов. Зачастую это выглядело как

97
Е. Нарбут
Император и смерть
Иллюстрация к сказке Г. Андерсена «Соловей»

98
А. Бенуа
Обложка книги «Азбука в картинках». 1904

Ответ
8 слов на букву «Э».

97

98

99

99
А. Бенуа
Буква «Э»
Иллюстрация из книги «Азбука в картинках». 1904

В описании рисунка сосчитай слова, начинающиеся на букву «Э».

забавная игра. В книгу сказок Гауфа «Маленький Мук», благодаря иллюстрациям Дмитрия Митрохина, можно войти как в сказочный восточный город. В нем свои границы и законы. Вообрази, что заставка в этой книге (слово-то какое, «застава» — сторожевой отряд на границе) — ворота средневекового арабского города. Силуэты его мечетей и минаретов (с них созывают мусульман на молитву) даны заливкой черной тушью. Это похоже на таинственное заклинание, написанное восточными письменами.

А над городом появляется фигурка карлика Мука, парящего в воздухе. Он главный герой и рассказчик сказки, наполненной невероятными и опасными приключениями.

Другого иллюстратора, Егора Нарбута, называли «рыцарем книги». Раскрой сказку Андерсена «Соловей» — и иллюстрации перенесут тебя в китайский Театр теней. Силуэты героев будто сплетаются в узоры, нанесенные рукой блестящего китайского мастера. Вот к больному императору пришла Смерть, села ему на грудь, надела корону и, взмахнув знаменем, занесла над ним саблю.

Но рано ей торжествовать! Проследи за прихотливыми линиями белого облака и увидишь, кто прогонит ее от ложа больного императора.

Билибинский сказочный стиль

100
И. Билибин
Обложка книги «Перышко Финиста Ясна-Сокола»

100

1. **С кем из героев, «населяющих» обложку, ты пустился бы в сказочный путь: со Змеем Горынычем, с богатырями или с птицей Сирин?**

С самого раннего детства тебе хорошо знакома обложка книги, оформленной замечательным художником Иваном Билибиным. Она как крышка волшебного ларца: откроешь ее — и вот они, сказки!

«Сказка-складка», — говорят в народе. Обложка выглядит как окно, украшенное узорчатыми наличниками. Недаром Билибин поездил по Руси-матушке, навидался сказочных росписей на народной утвари и потешных картинок-лубков. Из этих «кирпичиков» и сложился чудесный фасад его книжки: поверху золотые рыбки плывут, а невиданные звери охраняют само слово «Сказки». Нечисть в небе вьется да в дремучем лесу в избушке обитает. Внизу мудрый филин думу думает, а напротив него сладкоголосая птица Сирин поет.

Скоро сказка сказывается, да не скоро дело делается. Когда рассматриваешь линии рисунка Билибина, не верится, что они проведены акварельной кисточкой, так они тонки и упруги. Рука художника не знала устали. Некоторые его ил-

101
И. Билибин
«Во все время разговора он стоял позадь забора...»
Иллюстрация к «Сказке о царе Салтане» А.С. Пушкина

101

102

2. **Найди на картине символ «недреманного ока» судьбы, которое «наблюдает» за Дадоном.**

Ответы

1. Лучше с богатырями, птица может улететь, а Змей Горыныч — плохой спутник.
2. «Глаза» на павлиньих перьях.
3. Собака.

102
И. Билибин
Царь Дадон перед Шамаханской царицей
Иллюстрация к «Сказке о золотом петушке» А.С. Пушкина
1906

люстрации схожи с ярко раскрашенными лубочными картинками. Но за внешней условностью образов скрывается сказочник «зело мудрый».

Вершина книжной графики Билибина — иллюстрации к пушкинской «Сказке о золотом петушке». Смотри, как застыл царь Дадон, увидев выходящую из шатра Шамаханскую царицу! Осел грузным телом, пальцы растопырил, мертвых сыновей, лежащих у его ног, и не видит, того и гляди сам свалится. Смотрит на него художник — и диву дается: вот так царь! И его насмешливая и мудрая кисть уже пишет концовку сказки. В размеренном ритме копий и склоненных шлемов воинов Дадона Билибин спрятал удивительный символ — «недреманное око».

К царю Салтану у художника ироническое отношение. Художник остроумно выбрал для рисунка то, что осталось «за кадром» повествования. За светящимся окном избы мелькают тени. Настоящий сказочный месяц освещает двор, занесенный снегом, и царя, застывшего в сугробе. Кругом тихо-тихо. Салтан прекрасно слышит все, о чем говорят «три девицы под окном»: «во все время разговора он стоял позадь забора».

О чем был этот разговор, ты, наверное, помнишь. Рядом с ним его верный друг, единственная охрана Салтана, он на всех иллюстрациях к этой сказке. Найди его, только учти, это вовсе не «сватья баба Бабариха».

3. **Самый легкий вопрос: кто охраняет царя Салтана?**

103

103
И. Билибин
Концовка к «Сказке о золотом петушке» А.С. Пушкина
1907

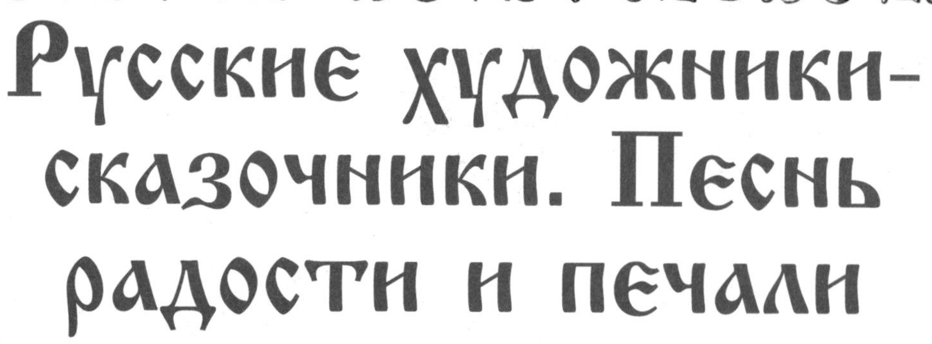

Русские художники-сказочники. Песнь радости и печали

104
В. Васнецов
Автопортрет. 1873

Художники, глазами которых ты в этой книге увидел сказку, были очень разными. И по характеру, и по творческой манере. Об этом тебе рассказали их картины. Большинство из них жили в одно время: в конце XIX — начале XX века и даже были знакомы друг с другом. Именно тогда живописцы словно заново открыли для себя сказку: «Что за прелесть эти сказки!»

Каждый из них совершил для тебя множество чудес. Иван Билибин подарил юным читателям необыкновенное «зеркало» — это его иллюстрации, отражение сказки в книге. Они показали тебе, какой он остроумный рассказчик и блестящий собеседник, который обращается одновременно и к тебе, и к автору сказки. На портрете работы художника Кустодиева Иван Билибин — элегантный красавец с пытливым и проникновенным взглядом. Он сидит на венском стуле раскованно и артистично, а цветок в его петлице похож на аленький цветочек.

Виктор Васнецов сам себя называл былинником, сказочником. Последние девять лет своей жизни он работал над циклом полотен, который назвал «Поэма семи сказок». В нем он хотел еще раз убедить людей: только Добро дарит радость и помогает найти в жизни согласие и гармонию. Вспомни картины этого цикла. Художник сам объединил их в смысловые группы: Добро и Зло — Баба Яга и беззащитный Ивашечка, Кощей Бессмертный и прекрасная царевна; радость жизни и любовь — в картинах «Ковер-самолет», «Царевна-лягушка», «Сивка-Бурка» и, наконец, раздумья над смыслом жизни — в «Несмеяне-царевне» и «Спящей царевне».

Николай Рерих — сказочный философ и мудрец. Он воскресил для тебя былинную, сказочную Русь, научил слышать музыку живописи и понимать «язык» животных.

105
В. Васнецов
Сирин и Алконост. Песнь радости и печали
1896

106
М. Врубель
Автопортрет. 1904

107
Б. Кустодиев
Портрет Ивана Билибина. 1901

На портрете художника, который написал его сын, он предстает перед нами невозмутимым и просветленным старцем, погруженным в таинство создания картины или, может быть, философского трактата. Горы далекого Тибета, на фоне которых он изображен, расскажут тебе о том, что этот мастер был великим ученым-путешественником. Его странствия овеяны легендами, что именно в Тибете он нашел уникальные археологические свидетельства существования Шамбалы — таинственной страны счастья.

Фантастическая живопись Михаила Врубеля научила тебя понимать тайный язык символов и унесла в мир волшебных грез. Подобно детям из сказки «Синяя птица», ты получил магический кристалл, который позволяет увидеть в обыденном необыкновенное. Лицо на «Автопортрете» этого великого художника выполнено нервным, «колючим» штрихом, а взгляд его полон мучительного напряжения. Тайновидец — вот как можно его назвать.

А теперь представь себе, что чудесные птицы радости и печали с картины Васнецова «Сирин и Алконост» слетели с полотна, чтобы вместе с тобой вновь посмотреть эту книгу. Заплакала, запричитала птица Алконост, опустив чернокудрую голову в тяжелой короне:

— Ох как много среди сказочных картин страшных да печальных! А уж нечисти злобной сколько притаилось — ни в сказке сказать, ни пером описать!

А посмотрела книгу румяная да нарядная птица Сирин и весело захлопала крыльями, запела:

— Чудо чудное, диво дивное! Как много здесь полотен ярких да радостных, добрых да светлых! Сердце радуется, и душа счастьем полнится!

А как ты считаешь: кто из чудесных птиц больше прав? Перелистай книгу вновь, ответь на вопросы, которые сначала показались тебе трудными.

Если ты сам ответил на все вопросы, можешь называть себя «Самым Премудрым».

Если помогали взрослые, это тоже хорошо: им полезно освежить свои знания, а тебе — лишний раз пообщаться с ними.

108
С. Рерих
Портрет Николая Рериха 1938

УДК 087.5:75(470)(084.1)
ББК 85.143(2) я6
С42

Содержание

ЭНЦИКЛОПЕДИЯ ЖИВОПИСИ ДЛЯ ДЕТЕЙ
Марина Владимировна Казиева
Сказка в русской живописи

Для младшего и среднего школьного возраста

Генеральный директор К. Чеченев
Директор издательства А. Астахов
Коммерческий директор Ю. Сергей
Главный редактор Н. Астахова

Редактор Л. Жукова
Корректор Н. Старостина
Компьютерная верстка и дизайн обложки:
А. Григорьева

ISBN 5-7793-0439-4
Лицензия ИД №04067 от 23 февраля 2001 года

Издательство «**БЕЛЫЙ ГОРОД**»
111399, Москва, ул. Металлургов, д. 56/2
Тел.: (495) 780-3911, 780-3912, 916-5595, 688-7536, (812) 265-4139
Факс: (495) 916-5595, (812) 567-5415

По вопросам приобретения книг
по издательским ценам обращайтесь по адресу:
105264, Москва, ул. Верхняя Первомайская, д. 49а, корп. 10, стр. 2
Тел.: (495) 780-3911, 780-3912
111399, Москва, ул. Металлургов, д. 56/2
Тел. (495) 916-5595
Сайт издательства: www.belygorod.ru
E-mail: belygorod@mail.ru

Отпечатано в полном соответствии с качеством
предоставленного электронного оригинал-макета
в ОАО «Ярославский полиграфкомбинат»
150049, Ярославль, ул. Свободы, 97

ЯПК

Дата подписания в печать 10.07.2006
Гарнитура KabelCLight; печать офсет.;
бумага офсетная; формат 60×90/8.
Тираж 4000 экз. Заказ № 0612620.